Dubbel verliefd

Dubbel verliefd

Anke Kranendonk
Met tekeningen van Joyce van Oorschot

LEESN!VEAU

		ME	ME	ME	ME	ME		
AVI	S	3	4	5	6	7	P	
CLIB	S	3	4	5	6	7	8	P

verliefd, vakantie

Toegekend door Cito i.s.m. KPC Groep

1e druk 2007
ISBN 978.90.276.7458.6
NUR 283

© 2007 Tekst: Anke Kranendonk
© 2007 Illustraties: Joyce van Oorschot
Illustraties schutbladen: Keanu en Phebri
Uitgeverij Zwijsen B.V., Tilburg
Vormgeving: Rob Galema

Voor België:
Zwijsen-Infoboek, Meerhout
D/2007/1919/294

Inhoud

Amelie – Wat moet ik doen?

Joram.
Lieve Joram, beste Joram, goedemiddag Joram.
Hoe moet ik beginnen. Wat moet ik hem eigenlijk precies vertellen. Mag ik het hem vertellen?

Ik zit op mijn slaapkamer aan mijn bureau met wel twintig soorten briefpapier voor me. Ik heb voortdurend buikpijn. Al weken brandt het enorm vanbinnen. Dit is misschien wel het 'branden van verlangen' waarover ik wel eens van klasgenoten of op televisie heb gehoord. Ik brand van verlangen naar Joram, naar zijn lieve blauwe ogen, zijn kuifje dat parmantig rechtop stond in de wind, zijn kordate optreden tijdens het zeilen, zijn rustige blik bij het vissen, zittend aan de waterkant.

Mijn buik trekt samen bij de herinnering aan zijn stevige armen om me heen. Zomaar, op die vrijdagavond in de schemering, onder de brug bij het Prinses Margrietkanaal. Zijn lippen op de mijne. O! Ik dacht dat ik ter plekke door de grond zou zakken, dat ik onmiddellijk zou smelten. Ik verdween in de lucht en was weg van de aarde!

Ik zinder van opwinding als ik terugdenk aan onze gezamenlijke zeiltochten op de Friese meren; hij aan het roer, met de helmstok losjes in zijn hand en ik in het trapezetuigje. Zodra de polyester zeilboot schuin overhelde, hing ik in mijn grote trapezebroek boven het water waarover we planeerden. Het plezier dat we samen hadden, de commando's die hij met rustige, besliste stem gaf. Hij wist wat hij deed in de zeilboot. Hij had zelfvertrouwen.

Ik ga bijna kassiewijlen als ik denk aan de wandelingen die we 's avonds in het donker maakten, terwijl onze ouders al naar bed waren of met een wijntje op de walkant van de stilte zaten te genieten. We maakten elke avond met alle kinderen een wandeling, over de Greate Sudein, de straat die gedeeltelijk langs het Prinses Margrietkanaal liep, onder de brug door, en uitkwam op het fietspad. Vroeger was het de doorgaande weg naar het kleine dorpje Uitwellingerga, maar nu functioneerde de weg alleen nog maar voor bestemmingsverkeer en voor de nachtelijke wandelaars.

De avondwandeling begon altijd tijdens de schemering, steeds met hetzelfde groepje kinderen. Ik probeerde voortdurend bij Joram in de buurt te blijven. Soms liep ik expres samen met anderen om niet te opvallend in zijn nabijheid te zijn. Soms was ik zogenaamd toevallig ineens in zijn buurt.

Tot die vrijdagavond mijn schoenveter losraakte. Ik bleef stilstaan om hem te strikken en Joram wachtte geduldig. Terwijl de anderen doorliepen, stonden wij samen in de schaduw van de lantaarnpaal.

O! Ik kan er niet verder aan denken. Wat er toen gebeurde en de week erna!

Nu zit ik thuis, alleen achter mijn bureau. Ik heb al duizenden e-mails geschreven, maar niet verzonden. Ik heb hem allang op internet gevonden, maar niets ondernomen.

Ik heb hem al tientallen keren willen bellen, maar nog voordat ik zijn nummer intoetste, heb ik de telefoon weer weggelegd.

Nu schrijf ik hem een verontschuldigingsbrief. Ik moet het doen, ook al reageert hij misschien niet en is hij woedend. Ik moet hem meedelen dat het me ontzettend spijt, dat het me allemaal plotseling overkwam …

Ik heb de brief eerst in kladversie geschreven en schrijf hem nu over op mooi briefpapier dat ik speciaal heb gekocht. Mijn hand bibbert terwijl ik in rechte lijnen mijn excuses formuleer, vraag of we samen kunnen afspreken en misschien opnieuw kunnen beginnen. Ik wist echt niet wat me bezielde. Het leek wel alsof ik ineens twéé menshelften was geworden, die ieder een andere kant op gingen.

Nadat de brief geschreven is, stop ik hem in een gefrankeerde envelop, schrijf zijn adres erop, loop naar de brievenbus en duw hem snel door de zwarte, ratelende tanden, voordat ik me bedenk.

Nu maar afwachten!

Joram – De brief

Het is halfvijf als ik thuiskom van een lange en intensieve schooldag. Ik had natuurlijk weer behoorlijke tegenwind op de terugweg, zodat ik nog sta te hijgen als ik binnen ben.

Mijn moeder vraagt of ik wat wil drinken en zin heb in iets lekkers. In één adem vertelt ze dat er een brief voor me op tafel ligt.

Eindelijk weer eens post voor mij. Zo vaak overkomt me dat niet. Het zal wel een afschrift van mijn spaarrekening zijn, of het nieuwsbulletin van de zeilvereniging.

Maar het is een echte brief met een lichtrood-oranjeachtige envelop. Verbaasd pak ik hem op, terwijl mijn hart onmiddellijk een slag overslaat.

Utrecht, staat als afzender achter op de envelop geschreven. Het kan maar van één iemand zijn. De enige die ik ken in Utrecht is Amelie.

Mijn hart slaat weer over. Wat zal ze schrijven? Hoe leuk de verkering met Maxi, mijn neef, is? Heeft ze het al weer met hem uitgemaakt? Of komt ze met een mededeling: tot volgend jaar?

Volgend jaar zullen we elkaar weer ontmoeten op ons vakantieadres, want dat hebben onze ouders al afgesproken. Voor dezelfde periode hebben ze vakantiehuisjes naast elkaar besproken en polyester zeilboten gehuurd. De families hadden het zo gezellig met elkaar; vier vreemde families op een rijtje, die elkaar daar in Uitwellingerga voor het eerst ontmoetten. Volgend jaar zal ik Amelie weer ontmoeten. Als ik daaraan denk, word ik nu al zenuwachtig, nijdig en een beetje angstig tegelijk.

Mijn moeder komt naast me staan, zet een longdrinkglas dubbeldrank voor me op tafel en biedt me een lekkere stroopwafel aan.

'Wie is de afzender?' vraagt ze zo neutraal mogelijk, waaruit ik opmaak dat ze allang geraden heeft van wie de brief afkomstig is.

Ik geef geen antwoord, drink mijn glas leeg, peuzel kleine stukjes van de stroopwafel en slenter met de brief naar boven.

Op mijn kamer gooi ik mijn schooltas op mijn bureaustoel, pak een schaar om de envelop te openen en plof op bed, dat als een volmaakte dubbel verende boxspring op en neer stuitert.

Mijn handen trillen als ik de envelop openmaak. Er zit een oranje brief in.

Het is nu twee maanden geleden dat ik Amelie ontmoette. We logeerden al voor het derde achtereenvolgende jaar in hetzelfde vakantiehuisje. De jaren daarvoor kampeerden we meestal in Zeeland of Zuid-Frankrijk,

maar drie jaar geleden vond mijn vader ons groot genoeg om ons te leren zeilen. Omdat het mijn vader aardig leek als ik in een eigen boot kon varen, ben ik bij ons in de omgeving, op het Eemmeer, op zeilles gegaan. Ik had niet verwacht er zoveel plezier aan te beleven. Binnen enkele maanden kocht mijn vader een laser voor me, een rank zeilbootje dat pijlsnel door het water kan planeren en waarmee je een echte wedstrijdspirit ontwikkelt.

Afgelopen zomer namen we mijn zeilbootje mee op de trailer naar Friesland. Voor de zomervakantie had ik groep acht afgesloten en na de vakantie zou ik naar de middelbare school gaan. Hoewel ik lekker op vakantie was en op het water altijd alles rondom me vergat, merkte ik toch dat ik die hele periode een beetje zenuwachtig was. Hoe zou het zijn op zo'n groot lyceum? Zou ik leuke kinderen leren kennen? Zou ik de klaslokalen kunnen vinden? Zou ik wel mee kunnen komen? Stel je voor dat ik op school kwam en mijn hersens ineens leeg waren, dat ik erachter kwam dat ik helemaal niet kon leren. Mijn score van mijn Cito-toets was hartstikke goed, maar dat zegt niet alles over je niveau op de middelbare school.

Inmiddels is het september en zit ik al een maand op mijn nieuwe school. Alles is behoorlijk meegevallen. Mijn klasgenoten zijn vriendelijk, ik kende al snel de weg door het gigantische gebouw en als ik tijdens de lessen goed oplet, snap ik de lesstof gemakkelijk.

Toch knaagt er iets in mij. Iets zeurt op de bodem van mijn ziel. Ik zeg er helemaal niets over. Ik vertel het mijn ouders niet. Mijn klasgenoten kunnen het niet aan me zien, maar toch is het voortdurend aanwezig.

Mijn neef Maxi heb ik sinds de zomervakantie niet meer gesproken. We zouden samen wedstrijden zeilen, aan het eind van deze maand. Mijn moeder vertelde dat hij gebeld had, maar ik heb hem niet teruggebeld. Hij probeerde me op msn te pakken te krijgen, maar ik gaf geen gehoor. Zelfs afgelopen week heeft hij nog gebeld om te zeggen dat we nu toch echt samen moesten trainen, omdat de wedstrijden in aantocht zijn. Ik was niet thuis en heb hem later weer niet teruggebeld. Ik liet hem lekker in zijn sop gaarkoken.

Of we ooit nog samen zullen zeilen, kan ik niet garanderen. Wat mij betreft voorlopig niet. Het wordt vast in de toekomst opgelost. Maxi is tenslotte mijn neef, maar zijn vragende ogen ontwijk ik voorlopig liever.

Soms flitst ineens Amelie voorbij in mijn gedachten. Dan draait die hele zeilvakantie zich als een speelfilm van één minuut af in mijn hoofd, met alle gevoelens die erbij hoorden.

Eindelijk vouw ik Amelies brief open en probeer de woorden te lezen, terwijl mijn ogen over de tekst vliegen en ik alles in één oogopslag zie:

Joram.

Lieve Joram, beste Joram, goedemorgen, of goedemiddag Joram.

Hoe moet ik je noemen? Het liefst noem ik je 'Lieve Joram', maar ik weet niet of je dat accepteert, na alles wat er is gebeurd.

Ik weet niet waar ik moet beginnen en ik weet ook niet of je deze brief wilt lezen. Misschien ben je ontzettend kwaad. Als dat het geval is, begrijp ik dat.

Ik moet iets vertellen: het spijt me ontzettend. Ik ben verschrikkelijk stompzinnig bezig geweest. Misschien heb ik je enorm veel verdriet gedaan. Als ik daaraan denk, krimp ik helemaal in elkaar. Kan ik het goedmaken?

Het was een supergrote vergissing. Het gebeurde zomaar. Ik wist niet wat me overkwam, maar dat durfde ik je niet te schrijven.

Ik wil iets vragen, hoewel ik het eigenlijk niet durf: zullen we samen afspreken?

Ik wil dolgraag weten hoe het met je gaat en hoe het is op de middelbare school. Misschien kunnen we samen zeilen, en zelfs wedstrijdzeilen.

Maar misschien kan ik je helemaal nooit meer onder ogen komen.

Ik wil alleen maar zeggen: Joram, ik mis je verschrikkelijk.

Ik houd de brief een tijdje vast en blijf voor me uitstaren. Dan vouw ik het blad terug in zijn vouwen. In gedachten verzonken sta ik op, verstop de brief in mijn bovenste bureaulade en loop naar beneden.

'Wat ga je doen?' vraagt mijn moeder als ik mijn trainingsjack aantrek.

'Een eindje fietsen.'

Ik loop naar buiten, haal mijn fiets van het kettingslot, spring erop en zet meteen flinke kracht op de trappers.

Amelie – Aankomst Friesland

Aan het begin van de zomervakantie gingen mijn ouders, mijn broer en ik met de auto op weg naar Friesland. Voor ons was het de eerste keer dat we twee weken achter elkaar gingen zeilen. Daarvoor hadden we altijd wandelvakanties in de bergen gehouden.

Ik was opgewonden toen we Friesland in reden, bij Joure de snelweg afgingen en via een smalle weg over bruggen en langs kanalen en meren uiteindelijk een klein weggetje insloegen. Mijn moeder parkeerde de auto voor een grote villa. Hier moest ons onderkomen zijn. Ik kon me nauwelijks voorstellen dat achter het huis een sloot lag, die uitkwam op een groot meer. Ik zag immers gewoon een straat met huizen!

Mijn broer vroeg onmiddellijk of we in dit buitenverblijf aan de straatkant gingen logeren, maar mijn vader antwoordde dat de kleine huurhuisjes in de achtertuin van dit grote huis stonden.

We stapten uit. Een beetje stil en misselijk van de tocht bleef ik vlak bij de auto staan.

'Laten we meteen aanstalten maken om de vakantiewoninkjes te gaan bekijken,' zei mijn vader, toen hij was uitgestapt. 'Daarna beginnen we aan onze volksverhuizing!'

Nog een beetje wankel liep ik achter mijn ouders aan

over een grindpad, langs het huis, naar de, in mijn ogen, kolossale achtertuin. Rechts lag een smalle sloot waar drie kleine motorbootjes lagen. Links, aan een groot groen grasveld stonden vier huisjes met ouderwets uitziende rode puntdaken. De wind blies door de boom, die zijn lange takken met slungelige bladeren loom naar beneden liet hangen. Het ritselde gemoedelijk.

Ik haalde het elastiekje van mijn pols en maakte er een paardenstaart mee, zodat mijn haren niet voortdurend in mijn gezicht zouden wapperen.

Mijn broer en ik liepen achter mijn ouders aan, over het pad langs de andere huisjes, naar het achterste appartement aan de waterkant. Een jongen zat in kleermakerszit op de steiger naast een hengel. Even keek hij naar ons, maar al snel richtte hij zijn blik weer op de dobber. Het was een jongen van een jaar of twaalf, dertien, schatte ik. Dat hij vissen leuk vindt, dacht ik meteen. Wat is daar nou aan, een beetje naar een dobbertje staren.

Toen verdween hij alweer uit mijn gedachten. We waren intussen het vakantiehuisje binnengegaan. Direct vielen de prachtige, grote ramen op, waardoor ik weilanden en water zag. Wat een adembenemend uitzicht! Tot in de verste verte waren alleen maar weilanden en water te zien.

Mijn broer liep meteen door naar een slaapkamer.

'Dit wordt mijn onderkomen!' riep hij.

Maar we moesten samen op die slaapkamer liggen,

omdat mijn ouders de andere kamer namen en er maar twee waren.

Ik bleef een beetje verdwaasd staan en moest even alles op me laten inwerken. Het was precies zoals het vaker gaat: van tevoren verheug ik me ontzettend op de vakantie, maak me een voorstelling van waar we naartoe gaan, verzin er al een hele vakantie omheen. Maar als ik uiteindelijk misselijk en bleekjes uit de auto stap en het gehuurde vakantiehuisje binnenga, is alles totaal anders dan ik me had voorgesteld.

'Hier meid, eet eventjes wat,' onderbrak mijn moeder mijn gepeins. Ze stopte me een bruine boterham met appelstroop toe, die ik gretig aannam. Ik nam een flinke hap en liep naar buiten.

Op de steiger zat die jongen nog steeds te vissen. Ik ging naast hem staan kijken hoe de dobber op de kleine golfjes danste. Hij zei helemaal niets, keek niet naar mij, maar bleef gewoon naar het water zitten staren.

'Hallo,' zei ik. 'Zit je hier allang?'

'Mwah,' antwoordde hij.

'En hier, in de bungalow?'

'Neu.'

Plotseling verdween de dobber onder water en de rustige jongen veranderde in een alerte visser die nog geconcentreerder naar het water staarde. Op het moment dat de dobber nogmaals onderging, trok hij de lijn omhoog.

Een piepklein visje spartelde daarna in de lucht.

'Hè bah!' riep ik meteen, maar de jongen reageerde niet. Hij ging staan, graaide het visje uit de lucht en terwijl hij het stevig vasthield, ging hij op zijn knieën zitten.

Ik stelde hem aan de lopende band vragen over vissen, hoe zo'n vis heette, of hij vaker viste en nog veel meer. Hij antwoordde kort, terwijl hij met rustige, gerichte handelingen het visje van de haak bevrijdde en teruggooide in het water.

'Lekker, straks zwemmen wij hier en dan zwem ik door het bloed van dat visje,' zei ik.

Toen keek hij me eindelijk lachend aan. 'Joh, dat valt best mee, hoor.'

Ineens stond er een meisje aan de andere kant van de jongen, wiens naam ik nog steeds niet wist. Een prachtig, lang en slank meisje. Ze stond er alleen maar en zei helemaal niets.

Er gebeurde iets met me, wat me nog nooit was overkomen. Van het ene op het andere moment was ik verlegen en in de war. Ik vond mezelf dik en lelijk en een hopeloze kletstante.

Het meisje, dat ik iets ouder schatte dan mezelf, stond er net zo zwijgzaam bij als die jongen. Die twee hebben ongetwijfeld verkering, dacht ik.

Het mooie huisje, de prachtige, grote tuin, de zeilen die ik in de verte door de groene weilanden zag schuiven, het kabbelende water, de zon die zo lekker scheen … Alles wat ik zojuist nog opwindend mooi vond en waardoor ik bij voorbaat al plezier had in deze vakantie, boezemde me plotseling angst in.

Joram – De eerste dag

Al bij het ochtendgloren kwamen we in Friesland aan. Nadat ik mijn ouders had geholpen met koffers sjouwen, haalde ik mijn hengel tevoorschijn en ging op de steiger bij de sloot zitten vissen. Voor onze familie was het al de derde keer dat we in dit vakantieoord waren. Ik kende inmiddels de mooie plekken en wist met welke windrichting ik naar welke plaatsjes kon zeilen.

Mijn eigen wedstrijdbootje stond nog op de trailer. Mijn vader en ik zouden het er in de loop van de middag af halen.

Voorlopig zat ik lekker aan de slootkant en staarde naar mijn dobbertje. Het was heerlijk om weer in het rustige Friesland te zijn, met op de achtergrond het geritsel van de grote bamboestruik.

Mijn tweelingzus liep ergens rond. Ze was waarschijnlijk op zoek naar haar vriendje van verleden jaar, die ook weer zou komen. Mijn jongere zusje stond al uren op de trampoline te springen.

In de achtertuin van de familie Peters stonden vier huisjes. In het hoekhuisje zou een gezin komen logeren, dat we nog niet kenden.

Ik zat op de steiger met mijn gezicht lekker in het zonnetje, toen ik achter me stemmen hoorde. Even draaide ik me om en zag een jongen en een meisje het hoekhuisje ingaan.

Onmiddellijk daarna stond het meisje naast me. Ze had een leuk rond koppie met prachtige ogen. Dat zag ik direct toen ik haar even aankeek. Ik schrok bijna van mezelf, zo'n intense trilling ging er door me heen.

Aandachtig keek ze naar mijn dobber en vroeg ondertussen honderduit: of ik hier al de hele dag onafgebroken zat, of ik vaak beet had, wat voor vissen hier rondzwommen, of ik geen medelijden had met de stumperds die ik bloeddorstig uit hun leefomgeving rukte, en nog veel meer. Ze was zo direct, oprecht verbolgen over de visvangerij, maar ook echt geïnteresseerd, dat ik het idee had niet met smoesjes te kunnen aankomen. Zo snel als zij haar vragen stelde, zo ad rem kon ik niet antwoorden.

Ik was nog nooit verliefd geweest. Sommige jongens uit mijn klas konden zich dat nauwelijks voorstellen. Die hadden altijd wel een vriendinnetje. Maar ik was nog nooit door verliefdheid bevangen geweest en wilde geen verkering 'nemen', zoals die jongens dat noemden, om maar verkering te hebben.

Na de vakantie zou ik naar de middelbare school gaan. Ik was er behoorlijk zenuwachtig voor en tegelijkertijd borrelde er ook een opgewonden gevoel in mijn buik. Dat was de uitdaging en de spanning voor wat er zou gaan komen. Niet om de nieuwe meisjes die ik

zou ontmoeten, waar sommige van mijn klasgenoten al verwachtingsvol naar konden uitkijken. Nogmaals, met verliefdheden was ik niet bezig.

Maar op dit moment, terwijl dat mooie meisje naast me stond, was er een stroompje geluk in me gegleden. Met het meisje naast mij op de steiger was het water lichter, kreeg ik de spartelende vis gemakkelijker van de haak en leek het weiland groener dan ooit. En tegelijkertijd werd ik onhandiger, voelde ik dat ze naar me keek, dat ze mijn vingers volgde, die behoedzaam het haakje uit de vis verwijderden. Zodra het beestje bevrijd was, bekeek ik hem aandachtig en met een slingerbeweging gooide ik hem terug naar zijn vrienden.

'Lekker is dat,' zei ze. 'Straks zwem ik door het bloed van dat beest.'

De manier waarop ze dat zei was grappig en goudeerlijk. Ik weet niet wat me overkwam, maar ik vond haar meteen hartstikke grappig en leuk.

Mijn tweelingzusje kwam aan de andere kant naast me staan. Waarschijnlijk wilde ze vertellen dat we moesten eten, maar ze zei helemaal niets. Dat hoeft ook niet. Claudia en ik weten altijd alles van elkaar zonder dat we het hoeven uitspreken. Zwijgzaam volgde ze mijn handelingen. Het meisje naast me zei plotseling ook niets meer. Even keek ik haar van opzij aan en zag dat ze vuurrood was geworden.

'Moeten we eten?' vroeg ik na een tijdje.

'Ja, straks gaat papa je laser te water laten,' antwoordde mijn zus.

Ik kwam overeind, stak mijn hengel in het gras zodat deze uit zichzelf bleef staan.

'Doei,' zei ik tegen het meisje. 'Ik zie je straks weer.'

Amelie – In de boot

Ze was gewoon zijn tweelingzusje! Daar was ik in de loop van de middag achter gekomen, nadat ik haar angstvallig in de gaten had gehouden. Toch veranderde mijn bui daardoor niet meteen. Ik was behoorlijk in de war geraakt van haar en van die jongen op de steiger. Hij heette Joram. Dat ontdekte ik doordat zijn kleine zusje hem riep.

Die middag moest ik meehelpen alle spullen van de auto naar het huisje te sjouwen. Telkens liep ik langs Joram, terwijl hij met zijn vader zijn zeilbootje van de trailer af haalde. Ik keek hoe hij zijn bootje in het water liet glijden en zeilklaar maakte, terwijl ik koffers droeg, of de slaapzakken, de zeilpakken, de handdoeken, de opblaasbare rubberboot, of andere spullen. Hij leek volkomen in zichzelf gekeerd, zich totaal niet van zijn omgeving bewust, terwijl ik er ongeveer in stikte!

Wat overkwam me? Ik was in Friesland gearriveerd en meteen gierden de zenuwen door mijn slagaders!

'Vooruit, Amelie,' sprak ik mezelf resoluut toe. 'Doe even normaal.'

Ik deed normaal, zo normaal mogelijk.

Toen het zeilbootje te water was gelaten, stapte hij met zijn bootschoenen en zwemvest aan in. Hij hees de zeilen en voer doodkalm alleen weg. Ik bleef achter op de oever en zwaaide naar hem als een vissersvrouw die eenzaam achterblijft. Langzaam sneed het zeilbootje door de kabbelende golven en ongemerkt werd het een klein stipje aan de horizon.

Toen hij terugkwam, stond ik al weer op de steiger. Keurig meerde hij aan, en ik pakte de stag om de boot af te houden. De stag is een stalen koord dat vanaf het puntje van de mast naar de zijkant van de zeilboot loopt. De stagen zorgen ervoor dat de mast op zijn plek blijft zitten. Maar deze stalen draad was van elastiek, ik kon hem zomaar uitrekken.

'Hé, wat merkwaardig, elastiek aan de scheepsmast,' zei ik verrast.

Lachend sprong hij van boord en kwam naast me staan, waardoor mijn hart zo idioot ging bonken dat ik eventjes keek of mijn T-shirt niet bespottelijk opzichtig op en neer ging.

'Deze stag is bestemd voor de trapeze,' vertelde hij. Ik vroeg wat een trapeze op een zeilboot deed. Die hoorde immers thuis in het circus.

'Daarmee ga je buitenboord hangen als de boot schuin gaat.'

'Bungel je dan aan dat elastiek? Gezellig, als dat knapt.'

Hij moest lachen. 'Zo plotseling knapt het niet.'

'Maar hoe werkt dat? Waar sta je precies en hoe moet

je dat elastiek vasthouden?'

'Je hangt in een speciale trapezebroek aan een haak, die aan de stag vastzit. Je zit gehurkt op het gangboord, de zijkant van de boot, en komt omhoog als de boot schuin gaat. Je moet wel op tijd terug als de boot weer recht gaat liggen. Anders krijg je een kletsnat achterwerk.'

Ik bleef doorvragen, terwijl hij het grootzeil oprolde en keurig aan de giek, de zijwaartse mast, vastmaakte. Ik wilde alles begrijpen: hoe je omhoogging en wanneer je wist dat je omhoog moest gaan. En of de boot niet achterover kon kieperen als hij schuin was gegaan, weer in balans kwam te liggen en je nog in die trapeze hing.

Hij lachte voor de zoveelste keer, niet luidruchtig, maar met een vette glimlach, en zei: 'Kom maar mee, ik kan wel een zeilmaatje gebruiken.'

Ik stikte zowat.

'Meteen?' vroeg ik met een vreemde, overslaande stem.

'Waarom niet, het zonnetje schijnt, lekker briesje.'

'Afgesproken,' zei ik, maar bleef ondertussen aarzelend staan. Ik kon eigenlijk helemaal niet zeilen. Ik had maar een enkele keer met mijn vader in een gehuurde zeilboot gezeten en nu zou ik met iemand meegaan die hartstikke bedreven was in het zeilen. Ik voelde me ineens een onhandige kluns, een stijve hark met een grote mond, die zo nodig alles moet weten, maar zo onhandig is als een halfgare stoethaspel die zijn ene been nog niet eens recht voor het andere kan zetten.

'Zullen we dan maar vertrekken?' vroeg hij.

'Even mijn spullen pakken,' antwoordde ik en draaide me om.

Binnen in onze vakantiebungalow liep ik als een kip zonder kop rond, op zoek naar mijn bootschoenen en zeilpak.

'Wat zoek je?' vroeg mijn moeder verbaasd.

'Mijn spullen,' siste ik.

'Welke spullen, wat ga je doen?'

'Schiet op,' zei ik.

Waarop mijn broer Jasper, vadsig hangend op de slaapbank, zoals gewoonlijk weer eens onaangenaam commentaar gaf. 'Ze is verliefd. Dat ruik ik op een kilometer afstand.'

'Houd je bek,' siste ik, waarop ik natuurlijk een standje van mijn moeder kreeg.

Bah, mijn stralende humeur helemaal verpest!

Mijn moeder gaf me mijn bootschoenen en een zwemvest. Ik hoefde geen dik zeilpak aan, daarvoor was het veel te warm.

Chagrijnig verliet ik het huisje, nadat mijn broer nog wat prettige opmerkingen had gemaakt.

Bij de steiger probeerde ik snel mijn boze bui te vergeten en stapte in de kleine, wiebelende boot. Joram had het zeil weer losgemaakt en gehesen. Het hing klapperend te wachten. Toen ik eenmaal in de kuip zat, maakte hij het bootje los, sprong er behendig op en ging achterin zitten. Hij draaide het roer helemaal naar één kant, zodat we keerden, en al snel ving het zeil wind.

Even later voeren we op het meer, Joram trok aan een touw, zodat de fok, het zeiltje aan de voorkant van de boot, ook kon meedoen in de wind. Lenig bewoog hij zich in de kleine kuip, het gedeelte van de boot waar we konden zitten. Ik voelde me een onhandige troela die maar heen en weer schoof en niet goed begreep wat de wind met de boot deed. Maar ik genoot ook. Ik voelde me vrij, met mijn haar wapperend in de wind. Dit was de eerste dag van de vakantie en ik maakte meteen al een zeiltocht!

'Oké, trek de trapezebroek maar aan, dan proberen we het,' zei hij na een poosje.

Heel onhandig trok ik de broek zonder pijpen aan, een ding dat eigenlijk meer op een babytuigje leek dan op een broek. Ondertussen zeilden we gewoon verder en gingen ontzettend schuin, terwijl ik onderuit hing met die broek half over mijn benen.

Toen ik hem na veel gewiebel aanhad, begon Joram te lachen. 'Dat had je beter aan de wal kunnen doen.'

Had dat eerder gezegd!

'Oké,' zei hij weer. 'Ga maar bij de stag op het gangboord zitten. Hang de haak van je trapezebroek in de ring van de stag en wacht totdat ik schuin ga. Hijs je dan

omhoog en probeer op het gangboord te gaan staan, dus op de hoge zijkant van de boot.'

Ineens gebeurde er van alles tegelijk. Joram ging een beetje verzitten en pakte de fokkenschoot, het touw waarmee je de fok kunt bedienen. Hij keek achterom of er geen andere zeilboten aankwamen, trok aan de groot-zeilschoot, en plotseling spoten we over het water. De boot hing meteen superschuin, waarop Joram gilde dat ik moest gaan hangen.

Ik legde een been om de stag, trok me een stukje omhoog en kwam overeind.

'Hangen!' riep Joram.

'Ik val!' gilde ik.

'Nee, dat gebeurt niet, naar achteren hangen als …'

Verder kwam hij niet, want ik voelde het al.

'Net als bij de flikflak!' riep ik.

Ik hing aan een elastiekje aan de buitenkant van een zeilboot die knetterhard over het water spoot!

'Jorammm, dit is supergaaf!'gilde ik.

Joram – In de boot

Amelie was zo nieuwsgierig naar mijn zeilboot en de trapeze dat ik haar meteen meenam voor een zeiltochtje. Toen we vlak bij het Sneekermeer waren, trok ze de trapezebroek aan. Ik stuurde mijn boot zo, dat de wind goed in de zeilen kon blazen. Direct gingen we hartstikke schuin en stond zij loodrecht op de boot. Ik heb nog nooit iemand gezien die dat zo gemakkelijk deed.

Ze gilde het uit, van plezier en bangheid tegelijk. Het is ook een ongewone ervaring als je buitenboord hangt en bijna loodrecht op het water staat.

Om te oefenen met in en uit de boot komen, liet ik soms het grootzeil een beetje vieren, zodat de boot weer recht kwam te liggen. Heel gemakkelijk kwam zij dan weer binnenboord en riep verontwaardigd dat we stillagen. Dat was helemaal niet het geval, maar het leek wel zo, als we niet schuin gingen en het water aan alle kanten tegen de boot aan klotste.

Na een poosje kon ik het natuurlijk niet laten: we gingen schuin, zij hing buitenboord en toen stuurde ik mijn laser met zijn kop helemaal in de wind. Dat is de snelste manier om meteen stil te liggen. Je ligt dan recht in de wind en als je niet oppast word je zelfs achteruit geblazen. Als de boot zo plotseling recht komt te liggen, moet je razendsnel binnenboord komen, hangend aan de trapeze, anders raak je met je billen het water. Dat gebeurde natuurlijk en haar billen werden kletsnat. Ze gilde het uit, maar wist toch behendig snel weer binnenboord te komen.

'Je bent ontzettend handig,' complimenteerde ik haar, en zag haar blozen.

Plotseling hoorde ik iemand over het water roepen: 'Bakboord!'

Ik schrok me een ongeluk. Doordat ik me met het spelletje met Amelie had beziggehouden, had ik niet opgelet. Er kwam een enorme zeilboot op ons af varen, die zijn zeilen over bakboord had hangen.

Op het water heb je vaarregels: hangen je zeilen over bakboord, dus over de linkerkant van de boot, dan heb je voorrang op de boot die zijn zeilen over stuurboord, dus rechts, heeft. Ik had mijn zeil over de rechterkant hangen en moest dus bliksemsnel uitwijken voor die knoeperd van een zeilboot die zijn zeilen wijduit had staan en in volle vaart op ons af kwam racen.

Ik liet het touw van het grootzeil door mijn hand glijden en trok razendsnel aan het roer, waardoor de boot net op tijd van koers veranderde.

'Sorry!' riep ik naar de snelle zeilboot, waarop de kapitein me gemoedelijk een kapiteinsgroet gaf.

Amelie kieperde door de plotselinge koerswijziging

bijna met een salto achterover het water in.

'Sjeempie, wat gebeurt er allemaal!' riep ze uit. 'Het lijkt wel topturnen, hier in de boot!'

Ik lachte, maar schaamde me ook een beetje voor mijn malle manoeuvre.

Inmiddels voeren we op het Sneekermeer, een van de grootste meren van Friesland, waar veel wedstrijden worden gehouden. Midden in het meer ligt het Starteiland, een klein eilandje met een restaurant en de starttoren. Vanuit die toren wordt het startschot gegeven voor het begin van wedstrijden. Het is altijd een mooi gezicht om plotseling allemaal dezelfde zeilen op dezelfde boten voorbij te zien komen, bijvoorbeeld allemaal platbodems, of Regenbogen, mooie ranke houten boten. En wat dacht je van Skûtsjes, die ontzettend grote houten zeilboten met bruine zeilen. Maar vaar daar nooit met je kleine zeilbootje tussen, want je krijgt de grootste scheldkanonnades naar je hoofd geslingerd!

Ik stelde voor op het Starteiland aan te leggen en een ijsje te eten. 'Pak jij het landvast?' vroeg ik.

'Ik kan er niet bij,' zei ze, toen we nog niet dicht genoeg bij het eiland waren. 'Hoe kan ik het land dan vastpakken?'

Ik lachte en ze keek me vertwijfeld aan.

'Het landvast,' zei ik. 'Dat is het touwtje waarmee je de boot aan het land vastmaakt, met een pin in de grond, of aan een paaltje dat speciaal daarvoor in de grond is geslagen.'

Toen we vlak bij het eiland kwamen, pakte ze het landvast en ging op de voorpunt van de boot staan. Ze wilde net springen, toen ik de boot met een mooie draai tegen de kant liet varen. Bijna kieperde ze in het water. Ze keek me verontwaardigd aan.

'Kun je even normaal doen?' vroeg ze, terwijl ze op de kant stond met het landvast in haar hand.

'Ik doe normaal,' antwoordde ik. 'Zo hoort het gewoon.'

Ik liet de zeilen zakken en rolde ze op, zodat de wind er niet in kon komen wanneer wij ijs zaten te eten. Dan zou de boot uit zichzelf kunnen wegvaren. Toen het grootzeil om de giek was geknoopt en de fok, het kleine voorzeiltje, was opgerold, liepen we naar het restaurant.

Zij at een heerlijk roomijsje, ik een lange ijslolly. We zaten op het terras en zij staarde naar het water. Ik bekeek haar stiekem: de lichte plukjes in haar haren, haar ogen die zelfs vanaf opzij glinsterden in de zon, en haar glimmende, ronde wangen die telkens een klein stukje omhooggingen als ze een hapje nam.

'Wat bestudeer je?' zei ze na een tijdje. Ze keek me lachend aan.

Ik werd knalrood en wist helemaal niets te zeggen.

Zij zei ook niets. We zaten stilletjes naast elkaar en keken naar de boten op het water.

En toch, toch leek het alsof we zonder woorden juist ontzettend veel tegen elkaar zeiden. Alsof er stroom was tussen ons; van Amelie naar mij en weer terug.

Amelie – De avondwandeling

Die avond zaten we met z'n allen onder de ritselboom te kletsen. Eerst hadden we samen gevoet-
bald en daarna puften we uit onder de bamboestruik.
We hadden zojuist genoten van een prachtige zonson-
dergang en staarden nu naar de sterren die de hemel
stralend verlichtten. Muggen zoemden om ons heen. Iedereen probeerde ze wel een keer met zijn handen voor
zijn gezicht weg te slaan, of zo'n prikbeest met een harde
klap op zijn arm te doden.

In de loop van de avond had ik de andere kinderen leren kennen. In het eerste bungalowtje logeerden Tonnie
van zestien en Natasha van vijftien. In het tweede huisje
woonden Joram, zijn tweelingzus Claudia en hun kleine
zusje Hannah. Hannah moest met haar negen jaar eigenlijk allang gaan slapen, maar ze vond het zo ontzettend
gezellig bij ons, dat ze het hoogste woord voerde. Tussen
het huisje van Joram en mij woonden Sanya, die vijftien
was, maar veel ouder leek, en haar grote broer Dennis
van zeventien, die nog helemaal niets had gezegd.

Mijn broer Jasper voerde, zoals gewoonlijk, weer het
hoogste woord, zodat er al meteen twee meisjes om hem
heen dartelden; Natasha, een mooi meisje met donkere
krullen en de hippe Claudia die zo uit een modeblad

leek te zijn gestapt.

Ik rebbelde vrolijk over het zeilen met Joram, over school, over turnen, de wedstrijden, over van alles. O, wat kletste ik onophoudelijk en wat zei Joram weinig terug! Soms hoorde ik mezelf kakelen en schaamde me voor mijn eigen wartaal.

Ik had nauwelijks besef van tijd, maar het was al flink donker en doodstil. Onze ouders zaten in hun huisjes, allemaal apart, niet gezellig samen, zoals wij.

Ze kwamen afwisselend naar buiten, eerst de moeder van Joram om zijn kleine zusje te halen. Het meisje sputterde behoorlijk tegen, maar haar moeder was onverbiddelijk.

'Volgend jaar, als je tien bent, zien we verder,' zei ze. Maar Hannah vond dat een stomme opmerking. Huilend volgde ze uiteindelijk haar moeder naar het huisje en wij bleven achter.

'Zullen we nog even een wandeling maken?' vroeg Tonnie.

Op dat moment kwam mijn vader naar ons toe. 'Amelie, het is tijd,' zei hij.

'Ah, alsjeblieft,' antwoordde ik. 'We gaan net een wandelingetje maken.'

Ondertussen bonsde mijn hart in mijn lijf. Het was zo spannend om daar in het donker onder de ritselboom te zitten tussen al die kinderen en vlak bij Joram. En dan het idee om een stukje te gaan lopen! Dat mocht mijn vader niet verstoren.

'Ik ga nog even lopen,' zei ik.

'Wandelen? Ik wist niet dat je daarin geïnteresseerd was.' Mijn vader deed weer eens grappig. De andere kinderen moesten lachen, maar ik schaamde me een ongeluk.

'Ophouden, papa,' siste ik.

'Ondernemend hoor, zo op de late avond nog een stuk wandelen. Mag ik jullie vergezellen?'

'Ja hoor,' zei Dennis, die de hele avond nog niets had gezegd.

Ik kon hem wel een schop verkopen. Mijn vader die ons gezelschap hield tijdens onze nachtwandeling; hoe kon hij het bedenken!

Gelukkig ging mijn vader liever terug naar zijn warme slaapkamer, maar ik moest wel over een kwartier binnen zijn.

'Een kwartier,' meesmuilde ik. 'Dan ben ik net het grindpad af.'

'Ik verwacht niet dat je het langer volhoudt,' plaagde mijn vader.

Iedereen vond het natuurlijk enorm grappig, behalve ik.

We liepen langs het grote huis, sloegen rechtsaf en wandelden in het donker over de Greate Sudein. Dat is natuurlijk een Friese naam. Waarschijnlijk betekent het: het Grote Zuideinde.

Eigenlijk lag het dorpje Uitwellingerga aan de overkant van het Prinses Margrietkanaal. Deze straat van oude kinderkopjes was de enige weg aan deze kant van het kanaal. Dit was het uiteinde van het dorp in zuidelijke richting.

Dit bedacht ik, terwijl we over de donkere, ongelijke weg liepen en alle andere kinderen al een eind voor Joram en mij uit liepen. Het was rustig op het weggetje. Soms hoorde ik in de verte een auto voorbij sjezen, maar dat was het enige geluid. Van de weeromstuit ging ik fluisteren.

Ineens bleef ik stilstaan om de deur van een oude boerderij te bekijken. Er was iets op geschilderd en mijn ogen moesten hard werken om in het donker de schildering te kunnen zien. Het waren twee paarden die tegenover elkaar stonden op hun achterste benen.

'Die boerderij heet de Horse, dat is Fries voor paard, net als in het Engels,' vertelde Joram.

Aan het kloppen van mijn hart voelde ik dat hij vlak bij mij stond. Wat maakte dat ik volledig uit het lood geslagen was? Was het de vakantie, de nachtwandeling, Joram? Was ik het zelf, die ineens veranderde? Nog nooit had ik meegemaakt dat ik vanzelf blij werd als iemand dicht bij me ging staan.

Ik hoefde helemaal niet met Joram te praten en ik hoefde hem niet te zien. Alleen zijn aanwezigheid deed mijn bloed al kolken. Ik voelde iets in mijn keel kloppen, mijn benen wiebelden en mijn stem sloeg steeds over.

'Grappig hè? Achter deze huizen ligt een gebied vol water,' fluisterde hij.

Ik antwoordde niet, want op dat moment dacht ik precies hetzelfde.

We stonden samen die deur te bekijken, totdat we merkten dat de groep al zo ver was doorgelopen, dat we hooguit een groepje zwarte schimmen zagen. Joram en ik waren alleen in de donkere nacht. Hij kwam naast me staan en ik spatte zowat uit elkaar. Het was net alsof er om mij heen een kristallen kerstbal zat. Die zat er al mijn hele leven, maar de wand was niet zichtbaar. Mensen konden heel dichtbij komen, zonder dat de tere kerstbal knapte. Maar nu kwam Joram dicht bij me, de kristallen bol knapte en ik gloeide van hoofd tot voeten.

Ik werd zo blij, zo ontzettend gelukkig vanbinnen, dat ik hem het liefst had omhelsd en helemaal fijn wilde knijpen.

Plotseling werd het me allemaal te heftig. Ik stikte gewoon bijna van de liefde.

'Kom!' riep ik onverwacht veel te hard in die prachtige, donkere nacht. 'Rennen!'

Joram – De nachtwandeling

Net als verleden jaar maakten we weer samen een avondwandeling, over de Greate Sudein, onder de ophaalbrug door en terug. Het was die eerste nacht een mooie, heldere avond. De warmte hing nog stilletjes in de atmosfeer, de sterren fonkelden stralender dan voorheen en in het maanlicht schitterden de silhouetten van de wandelaars.

Amelie wandelde voor het eerst mee, samen met haar broer. Eerlijk gezegd had ik niet eens in de gaten waar haar broer liep. Ik lette alleen maar op Amelie, die steeds stilstond om iets te bekijken. Dat begon al toen we van het erf kwamen en de weg op liepen. Ze bleef meteen stilstaan en luisterde aandachtig.

'Luister!' zei ze. 'Auto's op de snelweg. Doodzonde!'

De andere kinderen liepen verder, maar ik leek niet anders te kunnen dan blijven stilstaan om naar de sjezende auto's te luisteren. Natuurlijk reden die daar altijd, maar het geluid was hiervoor nooit tot me doorgedrongen.

'Stel je eens voor dat we hier niet het ronken van die motoren horen,' zei ze met gesloten ogen. 'Stel je de nacht voor zonder deze onderbrekingen van de stilte. Schrap deze herrie uit de nachtgeluiden en wat zul je overhouden?'

Ik antwoordde niet.

'Onbreekbare stilte,' zuchtte ze.

Even schudde ze haar hoofd en vervolgde toen haar weg. De andere kinderen waren doorgelopen, en schenen niet in de gaten te hebben dat we achterop raakten.

Toen we een paar meter gelopen hadden, stopte ze weer abrupt.

'Kijk,' zei ze tegen mij. 'Hier staan doodgewone huizen. Kon jij je de eerste keer voorstellen dat aan de achterkant van die huizen een provincie vol water ligt?'

Daar moest ik even over nadenken. Ook dit had ik altijd als heel vanzelfsprekend aangenomen. Immense waterpartijen achter een huis; is dat werkelijk bijzonder?

We vervolgden onze weg, maar stonden even later al weer stil. Amelie bewoog haar hoofd achterover, sloot haar ogen en snoof de avondlucht intens op.

'Ongelooflijk,' zuchtte ze, terwijl ze haar ogen opensperde.

'Bewonder de sterren, kijk in de donkere nacht, snuif de avondlucht op. Mmmm, een goddelijke strontlucht.' Ze grinnikte.

Ik bleef zo'n beetje aan haar vastgeplakt, terwijl de andere kinderen langzaam in de verte verdwenen. Hoe ver ze precies van ons verwijderd waren, kon ik niet inschatten vanwege de duisternis.

Waarom wandelde ik niet gewoon verder? Waarom leek ik zo aan dit meisje vastgekleefd? Er was een onbekend gevoel bij me opgekomen, dat ik eigenlijk heel idioot vond: als het meisje met haar glimmende wangen en springende piekharen stilstond op de donkere weg, wilde ik haar beschermen. Haar mocht niets overkomen en daarom wachtte ik als ze stopte en volgde haar als zij verder wandelde.

'Hé,' zei ze, toen we nog geen honderd meter gelopen hadden. 'Wat is daar op die schuurdeur geschilderd? Zijn dat paarden? Is daar een manege?'

Ze stond weer stil, bekeek de schuurdeur en stootte me even aan. Op dat moment gebeurden er twee dingen tegelijkertijd: ik leek een gloeilamp die – ploep – aan sprong en begon te stralen, en tegelijkertijd knapte de gloeilamp in duizenden stukjes. Alsof hij ontplofte, maar tóch bleef branden. Wanneer een gloeilamp brandt, beweegt een minuscuul draadje binnenin ontzettend snel heen en weer; je kunt het nauwelijks zien. Zo voelde ik me, misschien zag niemand iets aan de buitenkant, maar vanbinnen trilde ik als een bezetene.

'Jazeker,' zei ik. 'Paarden, maar het is geen manege. Misschien vroeger, maar nu is het een botenverhuurbedrijf.'

'Het heet de Horse,' zei ze.

'Ja, dat zijn paarden in het Fries, horse.'

Ze bleef een tijdje naar de geschilderde paarden kijken en ik stond trillend naast haar. Zij zei niets, pakte mijn arm en wees achter het huis.

'Ook water,' fluisterde ik.

Zo stonden we. Zij had mijn pols in haar hand en ik deed niets. Ik leek wel een marionettenpop, die alleen maar beweegt als iemand aan een koordje trekt.

Ze keek me aan. Haar wangen glommen zelfs in de duisternis en haar fonkelende ogen straalden misschien nog wel meer in het maanlicht.

Ik zuchtte, zij ook.

Ineens werd ik bijna verdrietig van blijdschap. Ik vond het zo idioot, zo kinderachtig ook. Wie gaat er nu bijna janken om niets? Ik zuchtte nog eens. Hoelang we daar hebben gestaan, weet ik niet. Volgens mij minstens een halfuur. De anderen waren al zo'n beetje op de Prinses Margrietbrug en stonden naar beneden in het water te spugen.

Ik realiseerde me pas hoelang we daar al stonden, toen Amelie me plotseling meetrok en naar de groep rende.

Amelie – Die late avond

Na de eerst nachtwandeling werd ik de volgende ochtend met een opgewonden gevoel wakker. In mijn pyjama liep ik naar buiten en genoot van de stilte. Ik snoof de ochtendgeur op en loerde ondertussen of ik een glimp van Joram kon opvangen.

Zodra Joram naar buiten kwam, wilde ik het liefst loeihard goedendag roepen, in zijn armen springen, mijn armen om hem heen leggen, hem een kus op zijn wang geven en hem heel stevig vastpakken. Maar ik ondernam niets.

'Goedemorgen,' zei ik zo gewoontjes en onopvallend mogelijk, terwijl ik deed alsof ik op de steiger naar de rimpelingen in het water staarde. In werkelijkheid lette ik scherp op hoe hij mij goedendag zei. Dat deed hij zo gewoon en losjes, dat alle moed en hoop me in de schoenen zonk. Hij vond me waarschijnlijk niet leuk; anders zou hij veel enthousiaster reageren.

De hele vakantieweek drentelde ik om hem heen. We zeilden iedere dag samen. Soms was ik fokkenmaat in een andere boot en voeren we met z'n allen naar een pittoresk dorpje. Eenmaal aangekomen, stond ik, onopvallend natuurlijk, te popelen totdat Joram kwam aanzeilen en we samen naar een terrasje konden lopen, waar we ijskoude milkshakes gingen drinken.

Zodra hij bij mij in de buurt was, ontplofte ik bijna van geluk. Als hij even uit mijn blikveld verdween, zocht ik hem met mijn ogen net zolang totdat ik hem weer tegenkwam.

Soms praatte hij met Natasha of Sanya, meisjes die veel ouder waren en die in andere jongens geïnteresseerd waren. Ik vond het achterlijk idioot van mezelf en heel kinderachtig, maar ik was dan jaloers. Heel onopvallend schoof ik zo ver opzij dat ik toevallig ook mee kon praten. Of ik hield in de gaten of Joram niet te gezellig met die meisjes praatte.

Ik schaamde me ondertussen ontzettend. Ik had helemaal geen verkering met hem. Ik had niet eens zekerheid of hij verliefd op mij was, maar in die eerste vakantieweek veranderde ik in een onmogelijk jaloers loeder, dat het liefst haar klauwen in die arme jongen wilde zetten.

Het was vrijdagavond, de laatste avond voordat Tonnie en Natasha zouden vertrekken. We hadden met alle gezinnen buiten in de tuin gebarbecued en maakten onze laatste avondwandeling met elkaar.

Het was donkerder dan andere nachten. Of was het later op de avond? In ieder geval hoorde ik nauwelijks verkeer op de snelweg en leek de nacht stiller dan de andere nachten. Of lag het aan mijzelf? Maar ik besteedde er weinig aandacht aan; Joram liep naast me, terwijl de anderen ook dichtbij bleven. We waren allemaal uitgelaten en stoeierig. Wie ermee begon weet ik niet meer, maar op een gegeven moment riep iemand: 'Ik ben hem!'

Alle kinderen renden weg. We stoven allemaal een andere kant op. Joram en ik renden het erf van verhuurboerderij de Horse op. Achter een aantal rododendronstruiken pakte hij mijn arm vast. Ik trilde helemaal, alsof ik een klein kleutertje was dat voor het eerst verstoppertje speelde en achter het fietsenhok zat te bibberen van opwinding of ze me wel zouden vinden! Tien keer achter elkaar verstopte ik me op dezelfde plek en iedere keer was ik weer bang dat ze me snel zouden ontdekken, of, misschien nog erger, nooit meer zouden vinden.

Ondertussen deed ik nu bibberend alsof ik het doodnormaal vond om 's nachts met de leukste jongen van de wereld in de bosjes verscholen te zitten!

Plotseling werd het muisstil. We hoorden helemaal niemand meer. Joram en ik zaten nog steeds gehurkt tussen de rododendrons. Mijn hart klopte verschrikkelijk hard, alsof het uit mijn lichaam zou klapperen. Ik voelde Jorams warmte, zijn regelmatige ademhaling, zijn zachte hand die mijn hand vastpakte. Het was intens stil tussen ons. Ik wist helemaal zeker dat vanavond de mooiste nacht van mijn leven zou worden. Wat er ging gebeuren, kon ik natuurlijk niet voorspellen, waarschijnlijk zou ik ontploffen van geluk. Dat deed ik op dat ogenblik eigenlijk al.

We zaten minutenlang op onze hurken. Mijn kuiten werden pijnlijk, maar ik bleef roerloos zitten. Jorams hand omklemde nog steeds mijn arm en langzaam kwam hij met zijn hoofd dichter naar mijn gezicht. Onze voorhoofden kwamen bijna tegen elkaar aan. Ik wilde een arm op zijn knie leggen, of hem omhelzen, maar ik durfde niets te doen. Ik wilde me in zijn armen gooien, hem helemaal plat kussen, stoeien op het grasveld, hem omarmen en nooit meer loslaten! Maar ik bleef een bewegingloze lappenpop die op zere benen in de bosjes zat, met mijn voorhoofd tegen dat van Joram.

Plotseling, waarschijnlijk toevallig, raakten onze neuzen elkaar. Ik smolt en werd een dun plasje water dat langzaam naar de blubbersloot achter de huizen vloeide.

Zijn warme neus tegen de mijne; mocht dit maar eeuwig zo blijven ...

Ineens kukelden we bijna om van schrik doordat Tonnie door de duisternis onze namen brulde.

Razendsnel krabbelden we overeind en hand in hand renden we het grindpad af naar de klinkerweg. Daar lieten we elkaar los, voegden ons bij de anderen, die ons lacherig begroetten, en wandelden rustig verder.

Er heerste een opgewonden sfeer in de groep. Misschien was iedereen op iedereen verliefd. Ik had dat toen niet zo in de gaten, omdat ik me te veel met Joram bezighield.

We liepen verder. De weg maakte een bocht naar links. Nu liepen we parallel aan het Prinses Margrietkanaal. We hoorden het water tegen de oevers klotsen.

Die wandeling was één grote bibbertoestand die van mij de hele nacht mocht voortduren. Ik had geen slaap nodig naast die heerlijke jongen met zijn witte kuifje, wipneus, lange benen, met zijn witte T-shirt over die hippe spijkerbroek. Alles was helemaal geweldig aan hem.

Op het moment dat alle kinderen onder de brug kwamen en natuurlijk allemaal even keihard 'hallo' riepen, struikelde ik bijna over een losse schoenveter. Ver van de bewoonde wereld vandaan, in de wetenschap dat we niemand wakker maakten, kon iedereen extra hard galmen. Terwijl de anderen doorliepen en de 'hallo's' nog na-echoden onder de brug, hurkte ik om mijn veter te strikken.

Achteraf kan ik niet goed terughalen of mijn veter echt losgeschoten was. In ieder geval strikte ik hem toen tergend langzaam. Joram bleef staan wachten, terwijl de anderen doorliepen. Voorbij de brug ging de weg schuin omhoog en even later hoorde ik voetstappen boven mijn hoofd. De meeste kinderen stonden boven op de brug en zouden blijven stilstaan om rondjes in het donkere water te spugen.

Ik kwam overeind en kon Jorams ademhaling horen. Een glimpje licht van een lantaarnpaal scheen onder de brug en verlichtte een deel van zijn gezicht. Ik voelde hem kijken.

'Amelie,' fluisterde hij.

De wereld om ons heen leek zich te sluiten. Ook al hadden we temidden van honderden mensen gestaan, het had de liefde alleen maar vergroot. We stonden tegenover elkaar, zo ontzettend dicht bij elkaar. Hij legde zijn rechterhand op mijn schouder. Bezat hij toverkracht? Mijn schouder begon helemaal te gloeien.

'Amelie,' fluisterde hij nogmaals.

Plotseling werd het stil, zo verschrikkelijk stil dat de wereld kon knappen. Langzaam kwam hij met zijn hoofd dichterbij. Langzaam kwamen zijn lippen tegen de mijne. Ik sloot mijn ogen en liet zijn zachte, warme donslippen tegen de mijne komen. Ooo, ik kon wel huilen en jubelen tegelijkertijd. Hij legde zijn armen om mijn schouders en ik legde mijn armen om zijn middel. Het was zo zacht en veilig dat ik eeuwig wilde blijven staan. Ik zou rechtop onder de brug in zijn armen kunnen slapen. Ik hoefde geen maaltijden meer. In Jorams armen had ik de hele vakantie kunnen blijven wonen.

Maar we werden uit onze liefdesslaap verstoord door de groep, die ons van bovenaf toeriep.

Joram streek even door mijn haren, waardoor ik weer bijna uit elkaar spetterde van opwinding. Toen pakte hij mijn hand, en samen renden we de brug op.

Joram – De nachtwandeling

Naarmate de dagen vorderden, begon ik Amelie steeds leuker te vinden. Ze kletste, ze dartelde, ze bungelde in de trapezebroek, maar bovenal lachte ze zo aanstekelijk dat ik er altijd enorm gelukkig van werd. Zoals zij kon lachen, voluit, met haar hoofd in haar nek, schaterend, zo heb ik nog nooit iemand horen lachen. Ik leek erdoor opgetild te worden en werd een bootje dat vanzelf over de golven planeerde.

Ik merkte dat zij in mij geïnteresseerd was. Ze lette op me en dat vond ik zo schattig dat het me niet hinderde. Ik kende niemand die zo angstvallig mijn handelingen bestudeerde. Eigenlijk vond ik dat normaal gesproken juist heel vervelend. Ik voelde me dan gevangen in iemands blikken. Maar Amelie stoorde me niet. Het was heerlijk om voortdurend haar vrolijke stem te horen en naar haar te luisteren als ze avonturenverhalen vertelde, die ze had meegemaakt met een andere zeilboot, weliswaar zonder trapezetuig en ophaalbare kiel. Het was nog amusanter om haar aan anderen te horen vertellen over onze belevenissen in de laser. De laatste dagen zeilde ze alleen nog maar met mij mee. Het was overduidelijk dat we elkaar leuk vonden. Het kon me niet schelen of anderen er een mening over hadden. Ik genoot in de nabijheid van Amelie en vond het heerlijk als we samen op zeilavontuur waren. Deze week was de enige gelegenheid, volgende week zou mijn neef komen logeren en moest ik voornamelijk met hem optrekken. Wij doen samen aan wedstrijdzeilen en het zou niet aardig zijn hem links te laten liggen vanwege een vakantievriendinnetje.

Soms leek die volgende week me ingewikkeld. Hoe moest ik mijn aandacht verdelen tussen hem en het meisje op wie ik plotsklaps stapelverliefd was geworden?

Want verliefd was ik en toen we onze laatste avondwandeling van die eerste week maakten, hield ik het nauwelijks meer. Maar hoe moest ik het aanpakken? Hoe vertel je een meisje dat je verliefd bent? Hoe ga je zoenen en wanneer mag je haar vastpakken?

Ik trilde als een limonaderietje, toen we eenmaal het pad afliepen. Ik ben meestal niet zo spraakzaam, maar die bewuste avond waren alle woorden uit mijn hoofd gevlogen. Ik zocht naar een mooie zin, een opmerking, een grapje, maar er kwam geen enkele steekhoudende opmerking tevoorschijn. Mijn hoofd leek een kapotte, ouderwetse platenkast waarin je een muntstuk doet waarna een zwarte grijparm het juiste singeltje uit de platenrij kiest, op een draaischijf legt en afspeelt. Die grijparm naar het juiste woord in mijn hoofd was volledig afgebroken.

Plotseling stoof Tonnie met gespreide armen op ons

af. 'Verstoppertje!' riep hij en rende ons voorbij, op weg naar Sanya of Claudia, twee meisjes op wie hij, geloof ik, tegelijkertijd verliefd was.

Van de opwinding in de groep maakte ik gebruik. Ik greep Amelie vast en trok haar mee achter dicht struikgewas. Wat overkwam me? Een heldenmoed was in mij gedaald. Nu moest ik het doen ook.

Ineengedoken als een klein meisje zat ze vlak bij me te luisteren of we gevolgd werden. Mijn hart klopte zo hard in mijn aderen, dat ik me eigenlijk kapot schaamde. In deze stilte kon ze het gemakkelijk tekeer horen gaan.

Nu moest ik alles gedegen aanpakken en niet verslappen. Dit was het geschikte moment om achter de waarheid te komen. Misschien wilde ze me helemaal niet en zaten we hier alleen maar met zijn tweeën omdat ze meedeed aan het verstopspelletje van Tonnie.

Ik haalde diep adem, staarde naar haar en legde langzaam mijn voorhoofd tegen het hare. Ze trok niet meteen haar hoofd weg! Ik kon haar horen ademen, haar ruiken, ik voelde ook haar hart bonken. Voorzichtig legde ik mijn neus tegen haar neus. Die was fluweelzacht.

Handelde ik goed? Moest het op deze manier? In films zag ik vaak dat ze elkaar meteen vastpakten en wild begonnen te zoenen, maar die mensen waren veel ouder en speelden toneel. Ze hadden natuurlijk geoefend om hartstochtelijk te kunnen doen. Dit werd mijn eerste oefening.

Amelie vond het kennelijk prettig, waarop ik durfde doorgaan, haar wilde vastpakken en lekker lang kussen.

Ik wilde haar omhelzen, maar toen werden we opgeschrikt door de luide stem van Tonnie die pal voor de struiken stond.

'Goedenavond, echtpaar!' riep hij. 'Gevonden!'

Ik schrok verschrikkelijk en kieperde bijna in de rododendronstruik. Binnen een seconde stonden we op het grindpad.

Amelie en ik renden naar de andere kinderen, die een eind verderop, bij de volgende kampeerboerderij, op ons stonden te wachten. Samen gingen we verder. Ik liep natuurlijk naast Amelie. Tonnie liep innig verstrengeld met Sanya en Dennis omklemde de hand van Natasha.

Hoewel ik het allemaal zag, drong het niet goed tot mijn hersens door. Ik ging helemaal op in Amelie die kletsend en grapjes makend naast me huppelde en hoorbaar in de stilte van de nacht lachte. Met haar in de buurt was het allemaal hartstikke fantastisch.

Onder de brug bleef Amelie plotsklaps stilstaan. Ze bukte en strikte uiterst geconcentreerd haar schoenveter. Ik wachtte beleefd op haar, terwijl de andere kinderen luid gillend verder liepen, ondertussen luisterend naar hun zelfgeproduceerde echo's. Het galmde heerlijk onder de oude houten brug met metalen pijlers.

Blijkbaar was veters strikken niet Amelies meest voorkomende bezigheid, want ze deed er verschrikkelijk lang over. Het werd stil onder de brug. De anderen waren doorgelopen. Toen waren we dus met zijn tweeën. De lantaarnpaal scheen een smal streepje licht onder de brug door. Het verlichtte precies haar donkere haren met de gekleurde streepjes erin.

Na een tijdje stond ze eindelijk op, vlak voor mijn hoofd. We zeiden niets. Het ging automatisch. Ik legde een hand op haar schouder en trok haar iets naar me toe. Als vanzelf zochten mijn lippen die van haar en gaf ik haar een zoen. Geen kleine, nee, mijn lippen bleven vastgeplakt. Zulke zachte lippen, heerlijk!

Een warme stroom suisde door me heen. Ik tintelde helemaal. Toen waren er geen gedachten meer. Ik omhelsde haar en zoende driftig verder. Zij sloeg haar armen om mijn middel en kneep mijn flanken bijna tot appelmoes. We bleven dicht tegen elkaar aan staan. Ik legde mijn hoofd tegen het hare en zuchtte diep.

'Amelie,' fluisterde ik en wilde nog veel meer zeggen, maar zij kuste mij alweer. Ik was helemaal niet zenuwachtig meer! Het voelde aangenaam vertrouwd om met haar samen te zijn in die donkere nacht. Ik wilde de hele nacht wel blijven staan. Misschien stonden we er ook wel uren.

Totdat er vanaf de brug naar ons geschreeuwd werd en we opeens weer in de werkelijkheid terechtkwamen. We lieten elkaar los. Ik pakte haar hand en samen renden we de brug op. We vlogen met zijn tweeën, totdat we bij de anderen aankwamen. Het kon me helemaal niets schelen dat ze ons aanstaarden! Met z'n allen hingen we over de reling en staarden in de donkere verte, Amelie aan mijn zijde gekleefd.

Met alle kinderen tegelijk liepen we na een tijdje weer naar beneden. Om de beurt bleven er twee kinderen achter, misschien stonden die ook wel te zoenen. Het maakte me allemaal niets uit. Ik wandelde stapelverliefd naast Amelie en nog nooit in mijn leven had ik me zo gelukkig gevoeld.

Thuis bleven we nog even onder de ritselboom staan. We zoenden, totdat iedereen sliep.

Amelie – Maxi

De volgende dag ontwaakte ik vroeg en voelde me ontzettend vrolijk. Ik was meteen zo wakker dat ik opstond, mijn kleren aantrok en buiten op de steiger ging zitten. Iedereen sliep nog, behalve de zwarte meerkoetjes en de eenden die zich rustig op de kabbelende golfjes van het water lieten meedeinen. Soms dook er eentje onder en kwam daarna weer zonder proesten boven water. Terwijl ik keek, bleef ik alert op ieder geluid en iedere beweging achter mij.

Daar kwam hij, nog in zijn pyjama, nou ja pyjama, alleen in boxershort. Ik kieperde bijna in de sloot van opwinding, toen hij met zijn blote benen naast me kwam zitten. Hij had een strakke, gespierde buik, bruine armen die lichter werden waar normaal zijn T-shirtmouwen begonnen.

'Goeiemorgen,' zei hij, en ik stikte bijna van de spanning.

Hoe moest ik me gedragen? Hem een ochtendkus geven of nonchalant 'goedendag' zeggen?

Ik huiverde even en zei doodgemoedereerd, maar binnensmonds: 'Goeiemorgen'.

Samen bleven we zitten kijken naar de duikende eenden.

Tonnie en Natasha zouden die dag vertrekken en waren dus vroeg op. Het was een flink kabaal achter ons. Koffers werden uit het vakantiehuisje gesjouwd, dekens uitgeklopt, en misschien het hele huis verbouwd, zoveel kabaal kwam er vandaan. Eigenlijk ging het bijna ongemerkt aan me voorbij. Ik had het veel te druk met Joram, daar op die houten steiger.

'Mijn neef komt vanmiddag,' zei hij nadat we lange tijd in de golven hadden gestaard.

'Vanmiddag al?' vroeg ik, terwijl ik probeerde mijn teleurstelling te verbergen.

'We gaan hem rond vier uur ophalen van het station. Zullen we daarvoor nog samen gaan zeilen?'

We keken elkaar tegelijkertijd aan. Ik leek wel een vaatdoek die je kon uitknijpen, zo'n goedkope zeemleren lap die je nooit goed uitgewrongen krijgt, of een potje flubberspul dat door je vingers glibbert. Zodra ik in Jorams ogen keek, werd ik een potje flubberspul.

'Kunt u ermee instemmen, mevrouw?' vroeg hij.

'Zeker,' antwoordde ik. Ik wist niet waarmee ik moest instemmen, maar bij hem wilde ik overal mee instemmen. Ik vroeg me af of hij soms gymnasiumadvies had gekregen, zo keurig praatte hij. Van de weeromstuit ging ik ook keurige woorden gebruiken.

'Dat mijn neef ook geregeld met mij samen zeilt? Hij is mijn zeilmaatje, daarom komt hij deze week hier. Dan kunnen we trainen voor wedstrijden.'

'Natuurlijk!' zei ik. 'Laten we vertrekken!'

We gingen zeilen, maar er kwam niet veel van terecht. Al bij het eerste meertje kroop ik dicht tegen Joram aan en hij zoende me op mijn hele gezicht. De boot draaide alle kanten op. Soms stuurde Joram de boot op koers, maar daarna zoenden we meteen weer verder.

Die middag kwam zijn neef, een lange dunne jongen met donkere krullen. Meteen toen ik hem zag, vond ik hem hartstikke leuk. Het was een stoere, bijdehante, lange gast! Hij heette Maxi, eigenlijk Maximiliaan, maar dat was een veel te lange naam om telkens uit te spreken.

'Maxi,' zei hij. 'Als baby was ik al een superbink!'

Zodra hij gearriveerd was, trok hij zijn zwembroek en bootschoenen aan en liep naar Jorams laser.

'Neefie!' riep hij. 'Opschieten, we gaan knallen!'

Joram knipoogde naar me en verdween met zijn neef naar open wateren.

Die avond wandelden we weer onze geijkte avondwandeling. Ik vergezelde natuurlijk Joram en kletste onderwijl gezellig met Maxi, die grappen maakte en iedereen in de maling probeerde te nemen. Naast Joram voelde ik me supersterk. Ik wist dat hij mij eventuele domme uitspraken zou vergeven.

De hele week gingen we zeilen bij ieder zuchtje wind. Meestal zaten Joram en Maxi bij elkaar in de wedstrijdlaser. Natuurlijk vond ik het jammer dat ik niet meer zo vaak met Joram samen zeilde, maar ik begreep dat het onvermijdelijk was. De jongens moesten immers trainen voor de aankomende wedstrijden.

Maxi en Joram leken elkaars tegenpolen: de rustige Joram tegenover de levendige en spraakzame Maxi; de bedachtzame Joram tegenover de impulsieve Maxi. Soms hees Maxi de zeilen verkeerd, of vergat een paar elastieken los te maken, zodat het zeil überhaupt niet omhoog kon. Lachend loste hij zijn kleine blunders op en razendsnel had hij de boot daarna op orde.

Er gebeurde langzamerhand iets. Het kwam geleidelijk op; het ging vanzelf. Doordat ik zo blij was om met Joram verkering te hebben, vond ik alles en iedereen ineens leuker. Zelfs Maxi begon ik steeds aardiger te vinden.

Toen brak de laatste avond van de zeilvakantie aan. We mochten met elkaar aan de overkant van het kanaal, in het dorpje Uitwellingerga, in een cafeetje iets drinken.

Terwijl het schemerde, liepen alle kinderen de lange weg ernaartoe. Ik liep natuurlijk hand in hand met mijn allerliefste Joram.

De laatste week was er een nieuw gezin met vier kinderen bijgekomen, drie jongens en een meisje. Iedereen was intussen op iedereen verliefd, geloof ik. Ik kon niet eens bijhouden welke koppeltjes precies ontstonden.

Maxi bleef in mijn nabijheid. Hij kletste honderd-uit en voortdurend moest ik om hem lachen. Gewoon, omdat ik hem leuk vond, eigenlijk ontzettend leuk. Het was een soort verliefdheid, maar dat had ik op dat moment met iedereen. Ik was zo verliefd op Joram, dat ik op alles en iedereen verkikkerd was geworden!

We gingen onder de brug door, liepen er even later overheen om aan de andere kant weer met een bocht in de weg eronderuit te komen. Even later arriveerden we in het dorp.

Het was stampvol in de plaatselijke kroeg. Het stonk er naar sigarettenrook, en alle mensen joelden door elkaar. Dennis, de oudste van ons allemaal, die vaker in kroegen kwam, bestelde voor iedereen een drankje. Toen ik mijn cola van hem had aangepakt, glipte ik naar buiten. Ik vond het binnen veel te lawaaierig en we moesten er bijna opeengestapeld staan.

Aan de overkant van het smalle straatje was een kleine scheepswerf. Ik liep ernaartoe om de houten kajuitboten, die op trailers lagen, te bekijken. Ik bestudeerde ze opzichtig, maar ondertussen wachtte ik op Joram, die ook naar buiten zou komen.

De laatste vakantieavond! Ik zocht alvast een boot uit, waarachter we ons konden verschuilen om lekker rustig te zoenen. Heerlijk! Ik trilde helemaal van verlangen! Ik wilde zolang zoenen tot de anderen ons zouden roepen om terug te gaan.

'Amelie,' hoorde ik ineens achter me. Meteen wist ik wie dat was. Ik draaide me om en keek omhoog in Maxi's gezicht.

'Meisje,' fluisterde hij. 'Verstoppertje?'

Ik verstijfde even en haalde mijn schouders op.

'Ik zocht je,' fluisterde hij.

'Waarom?'

Hij omklemde mijn pols waarop ik begon te bibberen. 'Ik heb geen flauw benul,' fluisterde hij, terwijl hij mij dichterbij trok. 'Amelie, je bent grappig. Wist je dat?'

Mijn ademhaling stokte. Ik draaide mijn hoofd opzij en draaide het weer terug. In de duisternis kon ik niet veel onderscheiden, maar wel zijn dikke krullenbos.

'Ontzettend,' fluisterde hij. 'Je lach, je wangen. Je bent aantrekkelijk.'

Ik had me meteen moeten losmaken. Ik had moeten zeggen: 'Oké, bedankt, ik ga weer, doei.'

Maar dat zei ik allemaal niet. Er gebeurde iets vreemds. Ik raakte opgetogen en ik voelde me stoer. Maxi vond me leuk. Er was nog iemand verliefd op mij!

'Meisje,' zei hij, terwijl hij zich vooroverboog.

Zonder eigenlijk te beseffen wat ik deed, ging ik op mijn tenen staan en zoende hem.

'Amelie.'

De stem van Joram klonk akelig dichtbij. Direct stopte ik met zoenen. Ik liet me weer op mijn voetzolen zakken en sloot mijn ogen. Ik wilde het liefst verdwijnen.

Helemaal, voorgoed verdwijnen. Nog nooit van mijn leven had ik zoveel teleurstelling in iemands stem gehoord als op dat moment in Jorams stem.

Hij draaide zich abrupt om en rende weg.

Joram – Maxi

Mijn neef en ik zijn twee handen op één buik. Hij is een jaar ouder. Onze moeders zijn zussen. Maxi en ik spelen al samen vanaf mijn geboorte. Hij is eigenlijk een soort grote broer. Hij is de gangmaker en ik degene die zijn brokken weer opruimt. Ontzettend vaak heb ik hem geholpen, bijvoorbeeld toen zijn buurman hem briesend achtervolgde.

'Joram, de buurman achtervolgt me dagelijks omdat ik pijltjes door zijn raam heb geschoten. Kun jij vandaag meelopen en vertellen dat ik onschuldig ben?'

Met meisjes moest ik hem ook vaak helpen. 'Joram, er loopt een roodgebloemde jongedame met paarsgeverfde haren achter me aan, die me voortdurend sms'jes stuurt, maar ik hoef momenteel geen verkering. Wil jij haar vertellen dat ik stinklippen heb, of druiporen, of hangbillen. In ieder geval iets waardoor ze het voortaan uit haar hoofd laat me te stalken?'

Hij had regelmatig verkering, ik nooit. Misschien was ik te verlegen voor de liefde.

Maxi kwam, zoals alle voorgaande jaren, tijdens de tweede vakantieweek naar Friesland. We zeilden samen en genoten als vanouds. Hij wist dat ik verliefd was op Amelie, maar reageerde daar verder niet op. Ik merkte dat hij mijn vriendinnetje graag mocht en daar was ik trots op.

De laatste vakantieavond liepen we met z'n allen naar het dorpje Uitwellingerga. Amelie en ik weken niet van elkaars zijde, maar ik was stiller dan andere avonden. In plaats van de uitgelaten stemming die zich van de anderen had meester gemaakt, was ik in mezelf gekeerd en een beetje verdrietig omdat dit mijn laatste avond met Amelie was. Morgen moesten we afscheid nemen. Hoe zou het daarna verdergaan? Ik wilde haar niet loslaten. Konden we niet de rest van onze vakantie samen doorbrengen?

We gingen naar de dorpskroeg. Het maakte me eigenlijk niets uit waar we naartoe gingen, als ik maar een rustig plekje zou kunnen vinden om met Amelie alleen te kunnen zijn. Een stukje grasland, een romantisch bankje onder een boom, ergens iets waar we samen konden zijn en waar ik kon vertellen dat ik iedere dag verliefder was geworden. Een plekje waar ik met haar kon zoenen. Zoveel zoenen dat ze er een jas van zou kunnen maken om aan te trekken en mee te nemen naar huis. Totdat we elkaar een volgende keer zouden zien en een nieuwe jas konden zoenen.

'Zullen we naar buiten gaan?' riep Amelie over het rumoer van de kroeg heen.

'Zo meteen, eerst even plassen!' riep ik terug.

'Ik ga alvast, ik wacht buiten.'

Dat was natuurlijk prima. Ik wurmde me door de menigte naar het toilet. Het duurde even voordat ik er aankwam en weer arriveerde waar we daarnet gestaan hadden. Ze was blijkbaar al vertrokken.

Ik liep naar buiten, maar ze stond niet bij de ingang te wachten. Ik stak het smalle straatje over, de kleine scheepswerf op, waar de boten op hun trailers stonden. Onder de klippers door zag ik benen staan, vier bekende benen. Ik liep ernaartoe en het duurde even voordat ik kon onderscheiden van wie ze waren, hoewel ik het eigenlijk allang wist.

Daar stonden Maxi en Amelie, hand in hand, mond op mond.

Alles was in één klap weggevaagd. Ik draaide me abrupt om en rende weg.

Achter me hoorde ik stemmen. Amelie riep mijn naam. Ze kwam me achterna, haalde me bijna in, maar ik deed alsof ik haar niet hoorde en begon harder te rennen. Ze probeerde in hetzelfde tempo mee te gaan. 'Joram!' riep ze wanhopig.

Ik antwoordde niet en rende verder. Amelie kon me niet bijhouden.

'Joram, wacht, alsjeblieft! Joram!'

Maar ik bleef doorrennen, onder de brug door, over het talud, de ophaalbrug over, aan de andere kant via het

talud, over het hobbelige gras, weer terug onder de brug door, de Greate Sudein op.

Haar stem echode onder de brug, maar ik rende verder.

Amelie – De laatste dag

Joram begon meteen te rennen. Ik bedacht me geen moment, maakte me los uit Maxi's armen en holde hem achterna.

'Joram!' schreeuwde ik door de donkere nacht.

Hij reageerde niet, maar rende verder, onder de brug door, met de weg mee omhoog. Ik nam een kortere weg. Door het ongelijke gras van het talud klauterde ik naar boven. Hierdoor kon ik een stukje afsnijden en was bijna boven aangekomen, toen hij voorbij rende. Zijn blonde haren lichtten op in het schijnsel van een lantaarnpaal.

'Joram, wacht alsjeblieft!' riep ik.

In het voorbijgaan probeerde ik zijn onderarm te pakken, maar ik gleed terug naar beneden. Hij negeerde me, rende de brug over en sprong aan de andere kant van het talud naar beneden. Ik klauterde weer omhoog en rende hem achterna, sprong ook naar beneden, maar deed het minder snel. Ik kon hem niet bijhouden en begon langzamer te lopen.

De afstand werd groter en even later kon ik zijn gestalte in de duisternis niet meer waarnemen.

In mijn eentje liep ik verder. Soms rende ik weer een stukje, totdat ik steken in mijn zij kreeg en weer moest wandelen.

Plotseling hoorde ik achter mij mijn naam roepen.

Ik verstijfde van schrik. Was dat Maxi die me achterna kwam? Snel rende ik verder. Voor mij liep mijn allerliefste vriendje en achter mij werd ik bijna ingehaald door zijn bloedeigen neef, die me zojuist gezoend had. Hoewel ik alle reden had om boos te zijn, was ik dat niet. Ik voelde niets anders dan grote wanhoop en verlangen naar Joram om alles goed te maken. Hoe kon alles weer terug veranderen?

Uiteindelijk kwam ik uitgeput bij de vakantiehuisjes aan. Overal keek ik of Joram ergens op mij wachtte. Desnoods was hij ontzettend kwaad. Als hij maar buiten wachtte en ik duizendmaal 'sorry' kon zeggen en hem vastpakken en zeggen dat het me enorm speet. Maar hij was nergens te bekennen: de vakantiehuisjes, het grasveld, het water, het lag er allemaal verlaten bij.

Ik wilde snel naar ons eigen huisje. Ik moest er niet aan denken om Maxi nog tegen te komen. Met driedubbel bonkend hart liep ik over het stenen paadje langs het huisje van Joram.

Daarbinnen moest hij zijn. Daar zat hij misschien achter het raam op de slaapbank naar het dichtgetrokken gordijn te staren. Daar stond hij misschien achter de deur te wachten totdat zijn neef zou thuiskomen. Daarbinnen was hij misschien allang in een diepe slaap.

Haastig en langzaam tegelijk liep ik langs zijn huisje. Misschien hoopte ik stiekem dat hij naar buiten zou komen, zou gillen of krijsen of vragen waarom ik zo af-schuwelijk laaghartig had gedaan. Maar ik hoopte het eigenlijk ook niet, omdat ik zelf niet eens wist waarom ik het had gedaan. Hij kwam niet naar buiten. Het bleef ijzig stil.

Thuis sliepen mijn vader en moeder al. Ik had beloofd een nachtzoen te komen geven, zodat ze met een gerust hart verder konden slapen. Ik liep naar hun slaapkamer en gaf mijn moeder, die zich knorrend omdraaide, een kus. Even opende ze één oog.

'Was het gezellig?' vroeg ze.

Ik antwoordde met een 'mmmm', waarna mijn moeder alweer verder sliep.

Mijn broer was natuurlijk nog niet binnen. Klaarwakker lag ik in bed, mijn handen onder mijn hoofd. Telkens zag ik mezelf staan met Maxi en telkens kwam Joram aanlopen. Ik probeerde het eerste beeld weg te gummen, te veranderen. Ik zei hardop: 'Nee, Maxi, ben je geschift geworden?' Maar mijn hart was boterzacht gebleken.

Blijkbaar ben ik op een gegeven moment toch in slaap gevallen, want mijn broer heb ik niet meer horen thuiskomen.

De volgende ochtend werd ik wakker met een zware steen in mijn buik. Alles was geweldig geweest deze weken, en vanochtend, sinds gisteravond, was alles weg. Ik wilde niet opstaan om in mijn nachtpon op de steiger verder wakker te worden. Ik hoefde niet gezellig alle koffers buiten op het gras te zetten en samen dekens uit te kloppen. Het liefst stond ik op en verdween nog voordat de anderen wakker werden. Maar ik moest gewoon opstaan, mijn bed afhalen, mijn koffer inpakken en hem buiten voor het huisje neerzetten.

'Help je even mee de dekens uitkloppen?' vroeg mijn moeder.

Dekens uitkloppen, wat een ouderwets gedoe. Toch was het prettig dat er extra dekens waren. Ik had het 's nachts vaak behoorlijk koud gehad.

Ik liep mijn moeder achterna naar buiten. Ze reikte me twee punten van de deken aan, pakte zelf de andere punten en stapte ermee naar achteren. Ze spreidde haar armen, met de uiteinden van de deken in haar handen, en riep: 'Eén, twee ...' Het signaal om de deken een flinke zwieper naar beneden te geven.

Op dat moment kwam Joram naar buiten. Ik verlamde.

'Je doet helemaal niets,' zei mijn moeder.

Ik stond daar met die deken in mijn handen en staarde nergens naar. Joram was het huisje uitgelopen. Zwijgend en in zichzelf gekeerd, zonder mij een blik waardig te keuren, liep hij achter mijn moeder langs naar zijn zeilboot toe. Op drie meter van mij vandaan, maakte hij de laser los en begeleidde hem vanaf de kant door de sloot naar het smalle slootje dat langs de tuin liep. Wij zeiden geen enkel woord tegen elkaar.

'Eén, twee ...' zei mijn moeder nog een keer. 'Je doet helemaal niets. Vooruit, kloppen.'

Met slappe armen sloeg ik de deken uit en volgde even later mijn moeder naar binnen.

Joram – De laatste dag

We zaten met elkaar aan de ontbijttafel. Claudia zat er slaperig bij. Haar haren piekten alle kanten op. Ze was nog niet aangekleed, terwijl ze andere dagen altijd al vroeg helemaal opgetuigd was. Ze zei geen woord, maar glimlachte voortdurend. Ik wilde vragen of de avond met de jongens gezellig was geweest, maar ik kon het niet over mijn lippen krijgen. Zij had een geweldige afscheidsnacht gehad, heel anders dan de mijne. Bij de herinneringen aan gisteravond liepen de rillingen over mijn rug.

Maxi zat tegenover me. Hij was stiller dan anders en probeerde voortdurend mijn blik te vangen. Maar ik keek bewust niet terug. Het liefst wilde ik dat hij wegging. Wat moest ik tegen mijn neef zeggen? De jongen die bijna mijn broer was, die ik vanzelfsprekend vertrouwde, de jongen die gisteren plotseling en onaangekondigd met mijn vriendinnetje zoende.

Naast me zat Hannah. Ze merkte niets van de rare sfeer. Ze kakelde met haar wakkere stemmetje overal doorheen.

Het was een merkwaardig ontbijt. Claudia, die voortdurend stilletjes glimlachte; ik, die, zodra mijn gedachten even afdwaalden, tranen voelde opkomen en ertegen vocht ze niet te laten vloeien; Maxi, die onhandige grapjes maakte, het pak met hagelslag uit zijn handen liet vallen, zijn beker te vol schonk met melk; en mijn ouders die druk overlegden over de organisatie van de terugreis.

'Kom, Joram,' zei mijn vader ineens. 'We gaan de boot op de trailer zetten.'

We gingen van tafel en liepen naar buiten. Daar stond Amelie. Even keek ze naar me. Toen pakte ze een deken vast en gaf er een flinke zwieper aan.

Tussen ons was slechts drie meter afstand. Leek die afstand gisteren maar een millimeter, nu leek het een oneindige kilometer. Mijn boot lag achter haar. Ik kon het grasveld oversteken en haar passeren, maar daar moest ik niet aan denken. Ik liep over het pad langs de vakantiehuisjes, achter haar moeder langs, tot aan de steiger. Ik deed alsof ze er niet was, alsof ik haar stem niet hoorde en doof was voor haar lach.

Maar ze lachte niet. Ik hoorde haar moeder tot twee tellen om de deken uit te kloppen. 'Voortmaken, meisje. We hebben meer te doen dan dekens uitkloppen,' zei Amelies moeder.

Ik hoorde het allemaal, toen ik mijn boot losmaakte en hem langzaam omdraaide, zodat hij met de punt richting het smalle slootje kwam te liggen.

'Amelie!' zei haar moeder streng.

Amelie antwoordde niet en ze liep met haar moeder samen terug naar binnen.

Ik wilde mijn boot razendsnel vastmaken en naar haar toe rennen, voordat ze het huisje binnenging. Ik wilde haar bij haar schouder vastpakken, zodat ze zich naar mij zou omdraaien. Ik wilde zeggen: 'Alsjeblieft Amelie, wat gebeurde er? Waarom heb je dat gedaan? Moeten we zo uit elkaar gaan, zo stilletjes en eenzaam?'

Maar in plaats daarvan trok ik aan de voorstag van mijn zeilboot en liet hem langzaam het kleine vaartje inglijden waar hij bij de vlakke helling uit het water kon worden getrokken.

Die middag was hun auto ingepakt en waren ze klaar voor vertrek. Onze ouders gaven elkaar een afscheidskus en beloofden elkaar volgend jaar opnieuw te treffen. Claudia en Jasper gaven elkaar een dikke pakkerd. Hannah sprong iedereen in de armen. Ook Maxi zei iedereen goedendag. Bij Amelie kon er een spastische 'doei' van af. Ze werd knalrood en antwoordde net zo spastisch.

Toen moesten wij afscheid nemen. Zij stond bij de ritselboom en ik stond voor het huisje.

'Joram,' begon ze aarzelend.

Ik keek haar aan. Wat meende ze nog? Hoe kon ik eerst de allerleukste zijn en binnen enkele minuten opeens iemand anders?

Ze plukte een blaadje van de ritselboom waardoor de tak een stukje naar beneden werd getrokken. Ze keek me even aan en er kwam een binnensmondse groet uit, waarop ik iets terugmompelde.

Ik opende de deur en ging ons bungalowtje binnen. Ik liep meteen door naar mijn slaapkamer en plofte neer op het afgehaalde bed.

Amelie – Spijt

'Het was een heerlijke vakantie,' zuchtte mijn moeder voldaan, naast mijn vader op de passagiersstoel.

'Onvergetelijk!' antwoordde mijn vader vrolijk.

'En jullie, hebben jullie net zoveel genoten?' Mijn moeder draaide zich een beetje opzij om ons op de achterbank te kunnen zien.

Naast me zat mijn broer Jasper te glimmen. 'Minstens net zoveel!' antwoordde hij en sloot zijn ogen weer.

'En Amelie?' Mijn moeder bekeek me aandachtig. Waarschijnlijk vermoedde ze iets. Ik merkte het aan de manier waarop ze vandaag met me omging. Ze keek indringend naar me en toen begon ik te huilen.

'Nee!' kon ik alleen maar roepen.

Mijn vader keek eventjes in zijn achteruitkijkspiegel, terwijl mijn moeder probeerde over mijn hoofd te aaien. 'Meisje, heeft Joram het uitgemaakt?' vroeg mijn moeder liefdevol.

Ik schudde mijn hoofd.

'Heb jij het misschien uitgemaakt?'

'Nee.'

'Wat is er dan gebeurd?'

Ik vertelde niets, durfde niets te vertellen. Ik vond mezelf afschuwelijk en stompzinnig en gemeen. Ik zag telkens Joram voor me. Hoe gelukkig hij aanvankelijk was, hoeveel plezier we samen hadden gehad en hoe gesloten hij vandaag was geweest. Ik zag hem wegrennen in het donker, op de vlucht voor mij.

Toen we thuiskwamen heb ik het nog niet meteen verteld. Pas na enkele slapeloze nachten, heb ik het aan mijn moeder verteld. Ze streek me over mijn haren en luisterde net zolang totdat alles verteld was.

Toen liet ze me een slokje water drinken en vroeg: 'Wat zou je momenteel het liefst willen?'

Daar hoefde ik niet lang over te denken: 'Hem opzoeken en uitleggen wat er gebeurde.'

'Doe maar,' zei mijn moeder.

Verbaasd keek ik haar aan. 'Doe maar? Hij is vast hartstikke kwaad.'

Ze schoot in de lach. 'Ja, dat riskeer je, maar dan heb je uiteindelijk wel je hart gevolgd.'

Het duurde nog een poosje voordat ik aan de brief begon. Eerst bedacht ik er honderd in mijn hoofd. Of zou ik hem meteen bezoeken, bellen, e-mailen, msn'en, of toch helemaal niets?

Uiteindelijk heb ik de brief geschreven en nu wacht ik gierend van de zenuwen en brandend van verlangen op zijn reactie.

Joram – Spijt

Waarom heb je het gedaan? Wie begon? Had je hem al eerder gekust? Hoe gemeend was het? Hoe verliefd ben je op mij? Kan ik je nog vertrouwen? Trut! Stom kind!

Rotneef, macho, onbetrouwbaar joch! Ik ga nooit meer met je zeilen, geen wedstrijden meer en nooit meer samen op vakantie naar Friesland!

Ik schreeuw het eruit, hardop in mijn hoofd. Schreeuwde ik het maar werkelijk loeihard naar de koeien in het weiland. Kon ik het maar allemaal tegen Amelie en Maxi roepen.

Ik sjees door de weilanden, langs het smalle riviertje de Eem, terwijl de gedachten in mijn hoofd nog harder ronddraaien dan de wielen van mijn fiets. Mijn handen glijden bijna van het stuur, zo zweterig zijn ze. Maar ik fiets keihard verder, totdat ik geen scheldwoorden meer in mijn hoofd heb en er langzaamaan andere woorden komen.

Voorbij de ophaalbrug kan ik niet langer wachten, keer mijn fiets en rijd nog harder terug dan ik was gekomen.

Het zweet staat op mijn voorhoofd als ik mijn fiets even later tegen de muur van ons huis zet.

De achterdeur staat open. Mijn moeder is niet in de huiskamer. Mijn kleine zusje kijkt televisie.

Ik loop naar boven, naar mijn slaapkamer. Ik pak mijn agenda, loop naar mijn ouders' slaapkamer, sla mijn agenda open, pak de telefoon en toets Amelies nummer in.

'Met Amelie,' hoor ik haar stem zeggen.

'Amelie,' fluister ik.

Het blijft doodstil aan de andere kant. Dan: 'Joram!'

'Amelie, laten we samen afspreken.'

Het blijft weer muisstil aan de andere kant, terwijl mijn hart knetterhard bonkt.

'Huil je?' vraag ik na een tijdje.

Ik hoor een dikke snik met een luide lach er doorheen. 'Ja!' roept ze. 'Joram, mag ik langskomen?'

Ik knik, wat ze natuurlijk helemaal niet kan zien. 'Graag,' antwoord ik dan.

Amelie – In de trein

Eindelijk is het zaterdagmiddag en brengt mijn moeder me naar het station. Ik koop een retourtje bij de kaartjesautomaat, terwijl mijn moeder naast me staat en me helpt bij het intoetsen van alle codes. Vroeger ging dat veel gemakkelijker. Dan ging ik met mijn moeder naar het loket en bestelde ze de benodigde kaartjes. Ze betaalde en de loketbeambte draaide de tickets met een ferme zwieper aan een hendel onder een raam door. Nu moet ik allerlei toetsen aantippen op een scherm en als je eventjes iets verkeerd doet met je zenuwachtige vingers, zoals die van mij, dan kun je weer helemaal opnieuw beginnen!

Even later wachten we op een overvol perron. Mijn moeder, die me niet zal vergezellen, wil de conducteur spreken en mij aan hem overhandigen. Normaal gesproken zou ik dat compleet achterlijk hebben gevonden. Ik ben toch geen kleutertje dat voor het eerst in haar eentje met de trein reist? Maar vandaag kan het me allemaal niets schelen.

Laat mij maar voorin bij de treinmachinist zitten, laat mij maar lekker naar het bedieningspaneel turen en de seinen op wit zien springen als we over de rails denderen. Laat mij maar als eerste de spoorwegbomen naar beneden zien gaan, want dan ben ik ook de eerste die ziet of Joram mij opwacht op het stationnetje van Baarn!

Onder overdreven luid getoeter glijdt de trein het station van Utrecht binnen, en alle wachtenden zetten automatisch een stapje naar achteren.

'Dertien uur achtendertig' staat er op de display dat boven mijn hoofd hangt. Ik heb het al duizend keer berekend: als de trein om dertien uur achtendertig vertrekt, arriveert hij om veertien uur veertien in Baarn. Om veertien minuten over twee is er tussen mij en Joram alleen nog maar een treinraam. Om vijftien minuten over twee heb ik de deur opengetrokken en spring ik naar buiten. Om zestien minuten over twee heb ik Joram helemaal omarmd.

Of misschien niet.

Het bloed in mijn aderen heeft al uren een kookpunt bereikt dat hoger ligt dan het kookpunt van kwik, hoewel ik niet precies weet waar dat kookpunt ligt. In ieder geval pompt mijn hart als een overspannen zwembadpomp door mijn slagaders heen. Soms vraag ik me vertwijfeld af of ik de treinreis zal overleven.

'Mijn dochter, Amelie,' hoor ik mijn moeder zeggen, en ik zie een mevrouw met een gestreept sjaaltje en een mallotig blauw mutsje op haar hoofd voor me staan.

'Natuurlijk zal ik me over haar ontfermen,' zegt de conductrice vriendelijk. 'Wil je fluiten?' vraagt ze.

Alsjeblieft, laten we voortmaken. Ik ben geen kleutertje meer, die denkt de conducteursrol te kunnen overnemen. Ik wil naar mijn verkering!

Als ik instap, bonkt mijn hart zo onstuimig dat ik bang ben dat het tussen het perron en de trein mijn lijf uit knettert, zodat het voor me uit zal stuiteren naar Joram toe.

Misschien ontmoet ik straks mijn vakantievriendje, dagdroom ik. Maar op het moment dat ik hem een voorzichtig zoentje op zijn wang wil geven, tilt hij zijn hand op om me een geweldige oplawaai te verkopen, zodat ik linea recta weer teruggemept word de trein in. Waarna de deuren zich sluiten en ik per ommegaande, met dezelfde conductrice die me nu vergezelt, weer huiswaarts keer.

De conductrice wil een gezellig praatje met me aanknopen, over school en mijn hobby's en of ik misschien een oudtante ga bezoeken. Maar ik ben niet goed in staat te antwoorden. Ik merk dat ik overal op antwoord met een onderaards mmm-gebrom en verder dromerig naar buiten zit te staren.

We zijn al in Soest-Zuid, nog drie stationnetjes, dan weet ik of ik bij een hoogtepunt van mijn leven ben aangekomen, of bij het dieptepunt dat dieper zal zijn dan die nacht achter de versgelakte houten klipper.

Joram – Zaterdag, veertien uur veertien

Ik sta in de Koninklijke Wachtruimte van het station in Baarn. Was het maar waar. Die prachtige Koninklijke Wachtruimte is al eeuwen voor het gewone publiek afgesloten, en ik wacht met knikkende knieën onder de Koninklijke Veranda, totdat de trein uit zuidelijke richting arriveert. Als het goed is, zit Amelie in deze trein.

Waarom ben ik zo verschrikkelijk zenuwachtig? Ik hoef alleen maar Amelies oogopslag te zien om te weten of ze echt meent wat ze in het telefoongesprek tegen me zei: 'Ik mis je.'

Plotseling schiet me iets te binnen en ik voel de aderen in mijn slapen hevig kloppen. Maxi had hier moeten staan! Ik had als verrassing Maxi moeten uitnodigen om haar met hem te confronteren en te kijken hoe ze op ons beiden reageert.

Veertien uur dertien. In de verte hoor ik de bellen van de spoorwegovergang al rinkelen. Dadelijk rijdt ze het station binnen. Gelukkig ben ik alleen. Mijn neef hoeft onze ontmoeting niet te bederven. Hij heeft me trouwens in alle toonaarden zijn verontschuldigingen aangeboden, toen hij merkte dat ik verschrikkelijk boos en verdrietig was.

Veertien uur veertien. De gele koplampen van de trein stralen hun licht uit over het perron. Er gaat een raampje open en een meisje steekt haar hoofd naar buiten. Ze heeft zachte, ronde wangen die zo intens glimmen dat ik haar, als ik het zou durven, zomaar door het openstaande raam naar buiten zou willen trekken. Piepend en schurend komt de trein tot stilstand.

Binnen een seconde worden de deuren opengetrokken. Amelie springt naar buiten. Daar staat ze, met haar stralende ogen en glimmende, bolle wangen.

We staan tegenover elkaar, maar ik durf haar niet vast te pakken.

Ze zucht en houdt haar adem in.

Ik zucht ook, lang en diep.

Even blijven we vertwijfeld staan, terwijl de overige passagiers onhandig om ons heen moeten manoeuvreren om hun weg te vervolgen en de conductrice Amelie met een kneepje in haar arm goedendag wenst.

Als het perron is leeggestroomd en de trein er verlaten bij staat, durf ik Amelie te omhelzen.

'Daar ben je eindelijk.'

Ze knikt, en in haar ooghoeken zie ik tranen glinsteren. Misschien wilde ze iets zeggen, maar dat lukt niet meer. Met gesloten ogen heb ik haar lippen allang gevonden.

Annemarie Bon
Weblog van een antiheld

Michiel is anti. Hij is anti-antipasta, anti-Kerstmis,
anti-tweede leg, anti-braaf, anti-spreekbeurt en anti-
ouders. Michiel is kort gezegd anti-alles. Op zijn
weblog schrijft hij zijn ongenoegen van zich af.

In dit boek lees je alles over Michiel. Hij vertelt op zijn
weblog openhartig over zijn leven. Over zijn ouders bijvoorbeeld, en vooral ook over Eline: het meisje op wie
hij verliefd is.

Met tekeningen van Hélène Jorna

Elisabeth Marain
Tralies voor het raam

De vader van Titus zit wegens moord een lange straf uit
in de gevangenis. Titus blijft geloven in zijn onschuld.
Hij bezoekt hem en vertelt dan over zijn plannen om
hem te bevrijden. Tot Titus hoort hoe de vork echt in
de steel zit. Hoe moet het nu verder? Is er iemand die
Titus kan helpen?

Met tekeningen van Marjolein Pottie

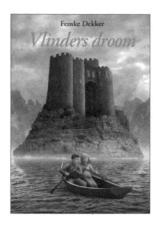

Femke Dekker
Vlinders droom

'Spinnen,' snikte Lang. 'Zo groot als ik, met afschuwelijke,
harige poten.'
Vlinder keek hem geschokt aan. Ze wist hoe bang Lang
was voor spinnen.
'Maar je zou toch rijk en beroemd zijn?' vroeg ze.
Lang antwoordde niet.
'De oplichter,' siste Vlinder.

Op de jaarmarkt koopt Lang voor zichzelf een geweldige droom. Voor Vlinder koopt hij er ook een, tegen
haar zin. De volgende ochtend blijkt dat Langs droom
een nachtmerrie is. Gewapend met hun dromen gaan
Vlinder en Lang op zoek naar de dromenverkoper. Pas
in zijn kasteel ontdekken ze waarom Langs droom een
nachtmerrie was. Maar dan is het te laat. Of biedt
Vlinders droom een uitweg?

Met tekeningen van Wim Euverman